Réalité ou illusion?

Directeur de collection : Léo-James Lévesque
Jeffrey Fuerst

SLLIS
L'Ecole Française
La Bibliothèque

Table des matières

La lumière et la vision 4

La lumière te joue des tours 10

Ton cerveau et tes yeux te jouent des tours 18

Glossaire 31

Index 32

La lumière et la vision

La lumière est un élément important de notre monde. Nos yeux recueillent de l'information à partir de la lumière réfléchie ou émise par des objets. Imagine la vie sans lumière. Il n'y aurait pas de couleurs. Le jour n'existerait pas. Sans lumière, on ne verrait rien.

Les plantes, les humains et les animaux ont besoin de lumière.

Les gens s'interrogent sur la lumière depuis longtemps. Certains scientifiques croyaient que la lumière était faite d'ondes. D'autres pensaient qu'elle était faite de particules. Avec le temps, les scientifiques ont compris que la lumière est composée à la fois d'ondes et de particules. L'optique est l'étude de la lumière et de la vision.

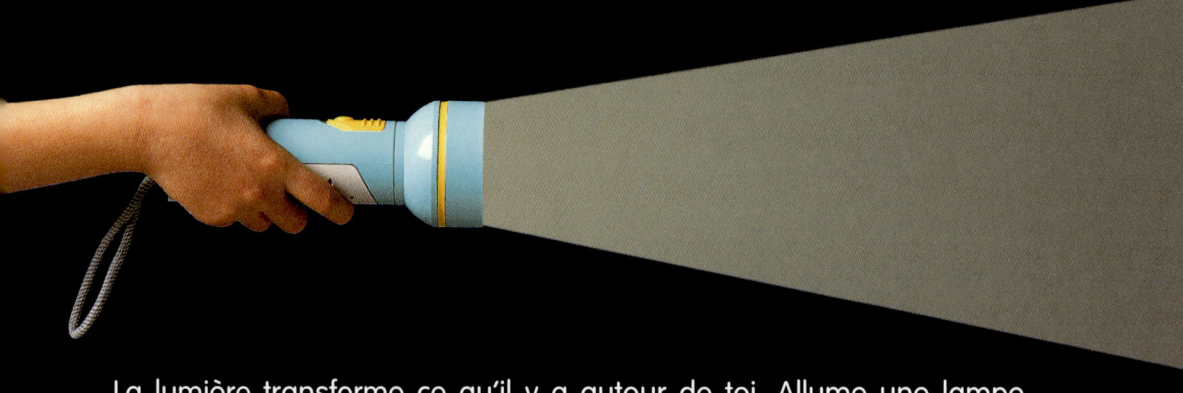

La lumière transforme ce qu'il y a autour de toi. Allume une lampe de poche dans une pièce sombre. Tu remarqueras que les rayons de lumière se déplacent instantanément en ligne droite à partir de la lampe de poche. La lumière frappe des objets, comme le visage des personnes. Ces objets reflètent la lumière vers tes yeux. Tes yeux envoient ensuite un message à ton cerveau. Ton cerveau reconnaît alors le visage de cette personne. C'est ce qu'on appelle la **vision**.

Si tu éteins la lampe de poche, il n'y aura plus de lumière. Ton cerveau ne reconnaîtra pas le visage de la personne. Sans lumière, il est difficile de reconnaître un objet.

Change l'apparence de ton visage à l'aide d'une lampe de poche.

Des rayons de soleil passent entre les arbres.
La lumière se déplace toujours en ligne droite.

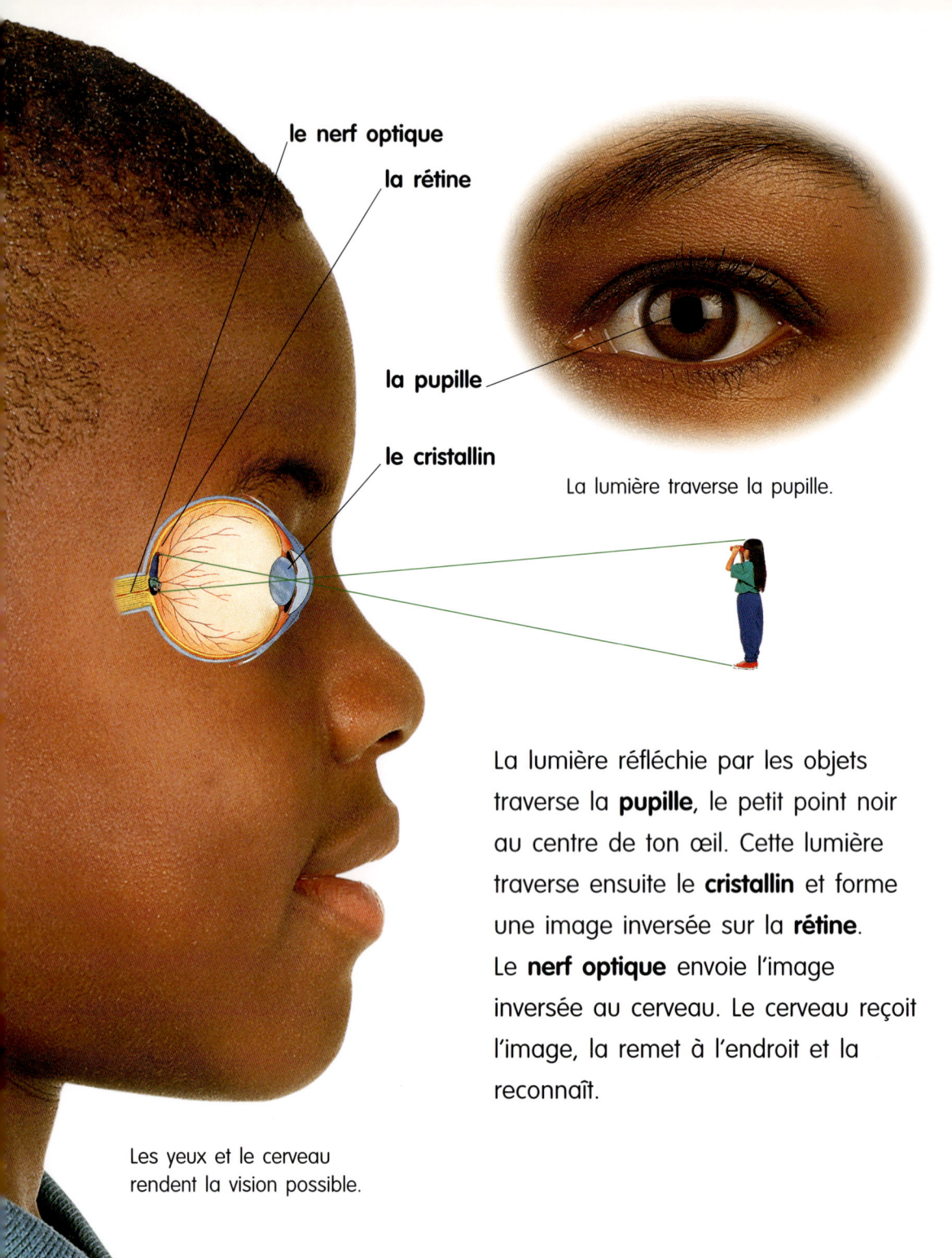

le nerf optique
la rétine
la pupille
le cristallin

La lumière traverse la pupille.

La lumière réfléchie par les objets traverse la **pupille**, le petit point noir au centre de ton œil. Cette lumière traverse ensuite le **cristallin** et forme une image inversée sur la **rétine**. Le **nerf optique** envoie l'image inversée au cerveau. Le cerveau reçoit l'image, la remet à l'endroit et la reconnaît.

Les yeux et le cerveau rendent la vision possible.

L'œil droit et l'œil gauche ont un champ de vision légèrement différent. Chaque œil envoie une image au cerveau. Le cerveau assemble les deux images pour en former une seule. C'est ce qu'on appelle la **vision binoculaire**. Cette vision nous aide à évaluer la distance qui nous sépare des objets.

Ton cerveau assemble les images pour en former une seule.

Tes yeux créent une illusion

1. Couvre ton œil droit avec ta main droite.

2. Avec un doigt de la main gauche, désigne un objet éloigné. Regarde ton doigt et l'objet.

3. Continue à pointer le doigt gauche sur l'objet. Découvre ton œil droit et couvre ton œil gauche avec ta main droite. Maintenant, regarde ton doigt et l'objet avec ton œil droit. As-tu l'impression que l'objet a bougé?

La lumière te joue des tours

Les choses ne sont pas toujours ce qu'elles semblent être. Si nous mettons la moitié d'un bâton dans l'eau, nous avons l'impression qu'il est brisé au milieu. Ce phénomène s'appelle la **réfraction**. Il se produit quand la lumière change de direction. La lumière peut créer des ombres, se réfléchir et se réfracter.

Les ombres

Tu peux créer des ombres à l'aide d'une lampe de poche. Éclaire un mur avec une lampe de poche et mets ta main devant la lumière. Une ombre apparaît sur le mur, là où ta main bloque la lumière. Si tu places un objet **opaque** devant une source lumineuse, tu produis donc une ombre. Tu vois seulement la forme de l'objet.

Fais des ombres. Que vois-tu?

Position du Soleil, tôt le matin.

Position du Soleil, à midi.

Position du Soleil, en fin d'après-midi.

La longueur et l'orientation des ombres changent durant la journée. À mesure que la Terre tourne, l'angle de la lumière du Soleil change. L'ombre est toujours à l'opposé du Soleil, et l'objet est entre les deux. L'ombre est toujours plus longue quand le Soleil est bas dans le ciel.

Un jeu d'ombre

1. Dépose un objet sur une table. Éclaire-le avec ta lampe de poche.

2. Regarde l'ombre de l'objet. Observe sa taille et sa forme.

3. Bouge la lampe de poche de gauche à droite. Approche-la de l'objet, puis éloigne-la. Quand l'ombre est-elle la plus longue? Quand est-elle la plus courte?

La réflexion

La lumière se déplace en ligne droite jusqu'à ce qu'un objet l'arrête. Si l'objet est lisse et brillant, il réfléchit les ondes. Les ondes rebondissent comme une balle sur un mur.

Les surfaces planes et brillantes réfléchissent les images.

La lumière sur un miroir plat

1. Place-toi directement en face d'un miroir dans une pièce sombre. Éclaire le miroir avec une lampe de poche. La pièce devient-elle plus claire? Si c'est le cas, c'est parce que la lumière est réfléchie.

   le miroir

2. Déplace la lampe de poche pour éclairer le miroir de biais. Le miroir réfléchit-il la lumière? Si c'est le cas, la lumière réfléchie par le miroir se déplace dans la direction opposée.

Tu ressembles beaucoup à ta réflexion sur une surface plane, comme un miroir. Ta réflexion a la même taille et la même forme que toi. Cependant, le côté gauche devient le côté droit. La personne que tu observes semble te faire face. Quand tu lèves la main droite, ta réflexion semble lever la main gauche.

Observe ta réflexion dans un miroir.

Les miroirs courbes produisent des réflexions amusantes.

Les miroirs des maisons du rire créent des réflexions amusantes. Certaines images sont étirées; d'autres sont comprimées et plates. Des miroirs courbes produisent ces réflexions étranges. Ces miroirs réfléchissent les rayons lumineux sous plusieurs angles.

Un miroir **convexe** est courbé vers l'extérieur. Il fait paraître les objets plus petits. Un miroir **concave** est courbé vers l'intérieur. Il fait paraître les objets près de sa surface plus gros et plus longs. Cependant, les objets plus éloignés semblent plus petits et inversés.

Ce rétroviseur est un miroir convexe. Il fait paraître les objets plus petits.

Les miroirs convexes et concaves sont très utiles dans la vie courante. Un rétroviseur est légèrement convexe. Il aide les conducteurs à voir une plus grande partie de la route derrière eux. Un miroir de maquillage est légèrement concave. Il fait paraître le visage plus gros.

Il y a des miroirs courbes dans certains instruments scientifiques comme les télescopes.

Convexe ou concave?

1. Tiens une cuillère devant toi, le dos face à toi. Le dos de la cuillère est courbé vers l'extérieur, comme un miroir convexe. À quoi ressemble ton image?

2. Tourne la cuillère. Le devant de la cuillère est courbé vers l'intérieur, comme un miroir concave. À quoi ressemble ton image?

Les arcs-en-ciel

La lumière du Soleil et l'eau créent les arcs-en-ciel. Le Soleil produit une lumière blanche composée de plusieurs couleurs. Cette lumière blanche passe à travers les gouttelettes d'eau présentes dans l'air. Elle se décompose alors en rayons de couleurs différentes. Ces rayons de lumière forment un arc composé de bandes de couleur.

Les couleurs de l'arc-en-ciel forment le **spectre visible**. Celui-ci comprend toutes les couleurs fondamentales de la lumière. La plupart des humains peuvent voir sept couleurs dans un arc-en-ciel : le rouge, l'orangé, le jaune, le vert, le bleu, l'indigo et le violet. On obtient d'autres couleurs quand on mélange les couleurs de l'arc-en-ciel.

Des couleurs dans la lumière blanche

1. Avec des ciseaux, fais une longue ouverture dans un morceau de carton. Fixe le carton à un verre rempli d'eau.

2. Dépose le verre sur une feuille de papier blanc. Laisse passer la lumière du Soleil par l'ouverture.

3. Regarde la bande de couleurs sur la feuille. Ces couleurs composent la lumière blanche.

un carton avec une ouverture

un papier blanc

Plusieurs couleurs forment un arc-en-ciel.

Ton cerveau et tes yeux te jouent des tours

Les yeux et le cerveau influencent notre façon de voir les choses. Ils travaillent en équipe pour nous donner la **perspective**. La perspective permet d'évaluer la taille des objets, la distance entre eux et leur distance par rapport à nous. Observe la route sur ces pages. Plus la route s'éloigne, plus elle semble se rétrécir. Les deux côtés de la route semblent se rejoindre, mais ce n'est pas le cas.

Les artistes savent que la perspective donne de la profondeur à leurs dessins et à leurs tableaux.

La perspective rend ce bâtiment plus réel. Les parties éloignées du bâtiment paraissent plus petites, comme dans la réalité.

Les illusions d'optique

Les yeux transmettent des images au cerveau. Le cerveau interprète ces images.

Parfois, le cerveau se trompe. Il rassemble les images, mais il crée une représentation qui trompe. On appelle cela une **illusion d'optique**. Les scientifiques étudient les illusions d'optique pour mieux comprendre le fonctionnement du cerveau et des yeux. Regarde bien les images des pages suivantes. Que vois-tu ?

Vois-tu le visage d'une femme ou un joueur de saxophone ?

Combien de pattes cet éléphant semble-t-il avoir ?

Vois-tu un lapin ou un canard?

Dans l'illusion d'optique ci-dessus, certaines personnes voient un canard et d'autres, un lapin. Dans l'autre illusion, des personnes voient un vase alors que d'autres voient deux visages face à face.

L'image que tu vois dépend de la partie de l'image que tes yeux fixent. Cependant, quand ton cerveau reconnaît l'illusion, il a plus de difficulté à se concentrer sur une seule image.

Vois-tu un vase ou deux visages?

Quelle forme vois-tu dans ces nuages?

Le cerveau cherche des régularités. Il interprète ce qu'il reçoit. Il reçoit surtout des images visuelles gardées dans la mémoire.

Parfois, ton cerveau essaie d'identifier un objet inconnu. Il ajoute des détails pour créer quelque chose qu'il reconnaît. Utilise ta mémoire pour distinguer la forme d'un oiseau en vol dans ces nuages.

Quel animal vois-tu?

Ta mémoire t'aide à reconnaître la forme d'un cœur.

Le cerveau utilise les indices visuels autour de nous. La perspective l'aide à voir la distance entre des objets. Le cerveau compare la taille des objets avec la taille et la forme d'objets voisins. Ces comparaisons ne sont pas toujours exactes.

Les lignes bleues aident le cerveau à voir la perspective dans l'image suivante. La perspective fait croire au cerveau que la cannette de gauche est plus éloignée que la cannette de droite. Donc, la cannette de gauche paraît plus petite. En réalité, les deux cannettes ont exactement la même taille.

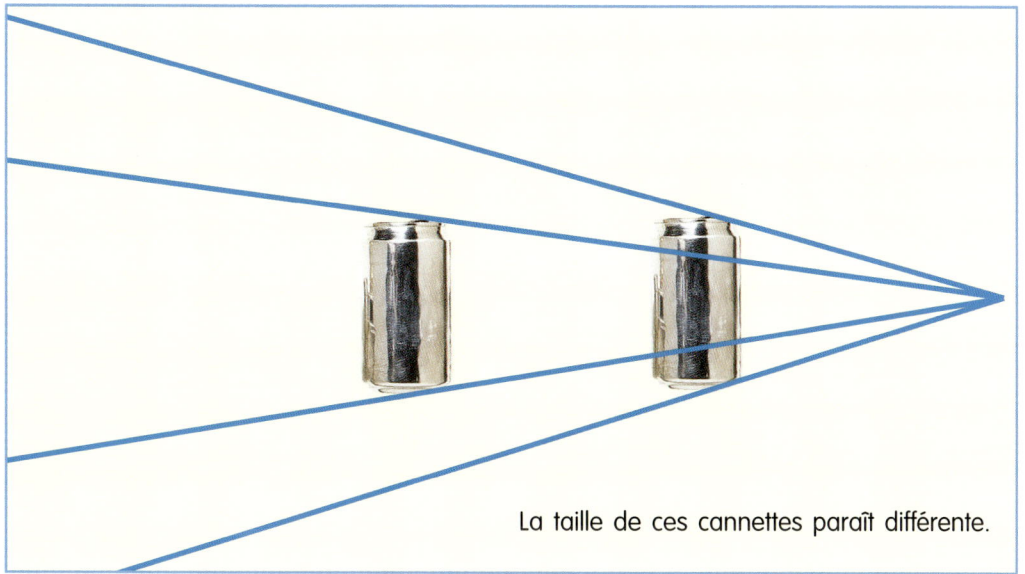

La taille de ces cannettes paraît différente.

Le milieu environnant d'une forme peut nous tromper sur l'apparence et la taille de cette forme. Observe les colonnes désalignées de boîtes blanches ci-dessous. Les lignes qui séparent les boîtes ne semblent pas droites. Pourtant, si tu regardes n'importe quelle boîte, tu verras un carré parfait. Tu as l'impression que les lignes ne sont pas droites parce que les boîtes blanches et les boîtes bleues ne sont pas alignées. Tes yeux ont envoyé des images à ton cerveau. Ton cerveau a créé l'illusion parce qu'il avait de la difficulté à interpréter l'information reçue.

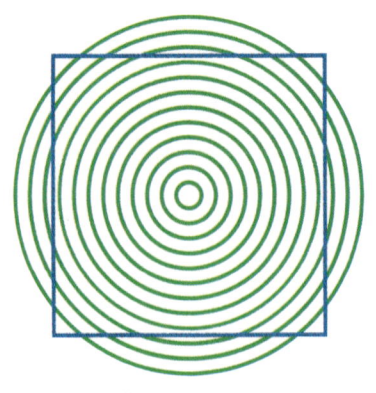

Les côtés de cette boîte sont-ils droits? Les lignes semblent se courber vers l'intérieur, mais, en réalité, elles sont droites.

Chaque boîte est un carré parfait, même si les rangées de boîtes semblent inégales.

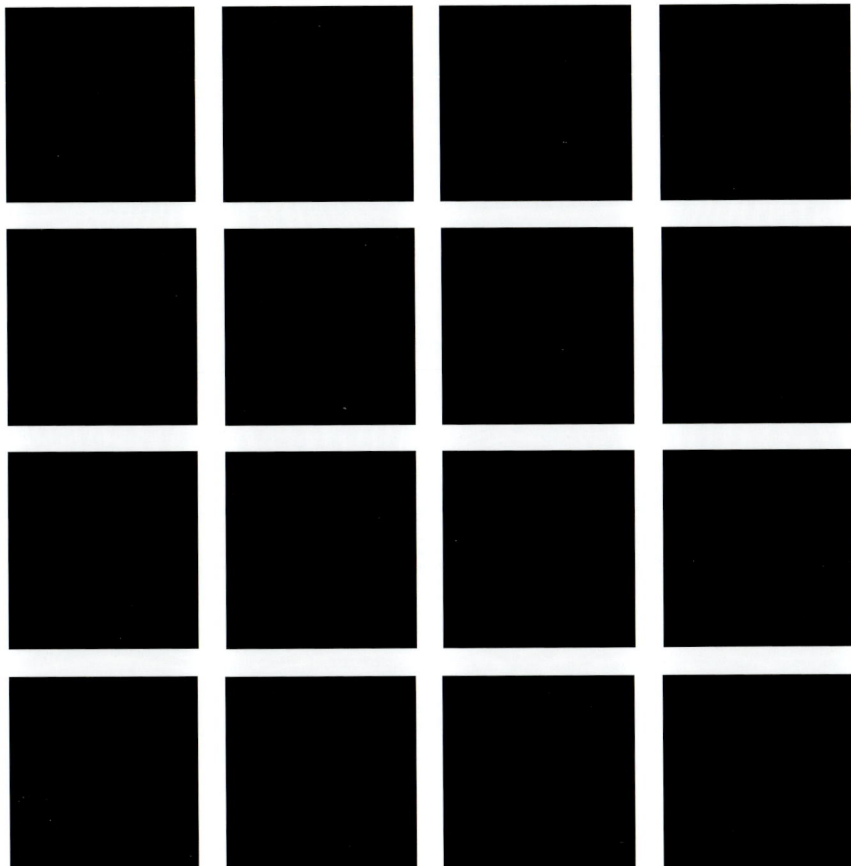

La grille d'Hermann.

Parfois, les yeux ne peuvent pas absorber toute l'information reçue ou ils en absorbent trop. C'est alors que les illusions d'optique se produisent. La grille d'Hermann est un exemple d'illusion d'optique. Regarde toute la grille pendant 15 à 30 secondes. Tu verras probablement des points gris là où les lignes blanches se rencontrent.

Cette illusion se produit parce que les yeux voient des carrés noirs et des lignes blanches. Tes yeux ne peuvent pas envoyer cette double information à ton cerveau en même temps. C'est pourquoi tu vois des points gris à l'intersection des lignes blanches.

Regarde cette image. As-tu l'impression de voir bouger les losanges ?

Certaines illusions d'optique donnent une impression de mouvement. Regarde ces cercles. Fixe le point au milieu. Ensuite, approche ta tête de la page puis éloigne-la. Tu verras les cercles tourner. Quand tu changes la distance entre les cercles et tes yeux, les petits losanges qui forment les cercles créent une illusion. Ton cerveau te donne alors l'impression que les cercles bougent. Pourtant, ils sont immobiles.

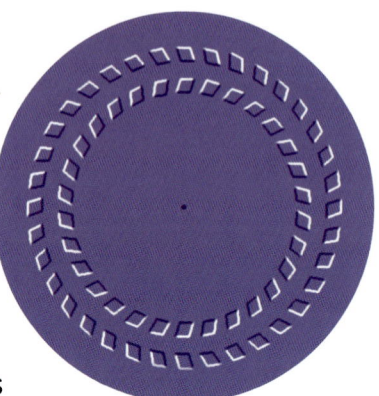

Les cercles semblent tourner.

Certaines illusions d'optique se produisent naturellement autour de nous. Quelquefois, nous avons l'impression de voir un objet à l'envers ou comme s'il était dans l'eau. Ce phénomène s'appelle un mirage. Une couche d'air chaud se forme près du sol, sous une couche d'air plus frais. Un mirage se produit. Les rayons lumineux reflétés par des objets éloignés passent de l'air frais à l'air chaud. Ils changent alors de direction. Ces rayons lumineux paraissent venir du sol. C'est pourquoi nous voyons parfois une image inversée des objets. Cette route, par exemple, semble être sous l'eau.

Les illusions d'optique sont toujours amusantes.

La magie du cinéma

Le cinéma existe parce que les humains ont accumulé des connaissances sur la lumière, l'ombre et le fonctionnement des yeux. Cependant, les yeux jouent parfois des tours. Quand nous regardons un film, nous avons l'illusion de voir beaucoup de mouvement. En fait, un film est composé de milliers d'images photographiques fixes. Toutes ces images sont légèrement différentes et forment une longue bande, un film.

Les rayons de lumière du projecteur de film traversent chaque image projetée sur l'écran. L'objectif du projecteur fait paraître l'image plus grande.

Le cinéma est notre illusion d'optique préférée.

Quand nous regardons un film, nous ne pensons jamais que c'est une bande d'images fixes. Nos yeux voient les images défiler rapidement. Notre cerveau assemble ces images et les voit bouger. Avant l'invention du cinéma, les gens faisaient des folioscopes. Grâce à la **rémanence des images visuelles**, les dessins de ces livres semblaient bouger.

Crée un folioscope

1. Prends un carnet de notes. Sur la première page, dessine un bonhomme avec le bras droit le long du corps.

2. Sur les pages suivantes, refais le même bonhomme. Dessine son bras droit un peu plus haut chaque fois.

3. Sur la dernière page, dessine le bonhomme avec le bras droit levé. Fais comme s'il saluait de la main.

4. Fais défiler rapidement les pages entre le pouce et l'index. Regarde bouger ton bonhomme.

La lumière, nos yeux et notre cerveau nous aident à voir et à comprendre le monde. Ils peuvent aussi nous jouer des tours. Les scientifiques étudient les illusions d'optique créées par les yeux, le cerveau et la lumière. Ils peuvent ainsi mieux comprendre le fonctionnement du cerveau et des yeux.

Les images à l'intérieur d'un zootrope semblent bouger quand on le fait tourner.

l'intérieur d'un zootrope

Glossaire

concave qui est courbé vers l'intérieur

convexe qui est courbé vers l'extérieur

cristallin la partie transparente de l'œil qui transmet les rayons lumineux à la rétine

illusion d'optique une image qui trompe le cerveau

nerf optique le nerf qui envoie les images au cerveau

opaque qui ne laisse pas passer la lumière

perspective la capacité d'utiliser des indices visuels pour évaluer la distance et la position des objets

pupille l'ouverture au centre de l'œil

réfraction le changement de direction de la lumière qui passe d'un milieu transparent à un autre

rémanence des images visuelles la capacité du cerveau de continuer de voir une image disparue

rétine la partie arrière de l'œil

spectre visible l'ensemble des couleurs que l'œil humain peut voir

vision la capacité de voir

vision binoculaire la formation d'une image à partir de ce que voient l'œil droit et l'œil gauche

Index

arc-en-ciel 16, 17

cerveau 6, 8, 9, 18, 20-26, 29, 30

couleur 4, 16, 17

cristallin 8

film 28, 29

folioscope 29

grille d'Hermann 25

illusions d'optique 20-29

lumière 4-8, 10-12, 16, 17, 28, 30

lumière blanche 16, 17

lumière du Soleil 7, 11, 16, 17

maisons du rire 14

mémoire 22

mirage 27

miroir 12, 13

   concave 14, 15

   convexe 14, 15

nerf optique 8

objet opaque 10

ombre 10, 11, 28

ondes 5, 12

optique 5

perspective 18, 19, 23

pupille 8

rayons lumineux 6, 7, 14, 16, 27

réflexion 12-14

réfraction 10

rémanence des images visuelles 29

rétine 8

spectre visible 16

vision 5, 6, 8, 9

vision binoculaire 9

yeux 6, 8, 9, 18, 20, 24-26, 28-30

Regarde le cercle au centre de chaque fleur. Les deux cercles sont-ils de la même taille ?